# L'école des Licornes

Titre original: *Unicorn School*
*The School Play*
Text copyright © Working Partners Ltd, 2008
Created by Working Partners Ltd, London W6 OQT
All rights reserved.
The moral right of the author has been asserted.
First published by Penguin Group, England, in 2008.

Cet ouvrage a été réalisé par les Éditions Milan
avec la collaboration de Cécile Benoist et Sophie Forgeas.
Mise en page: Petits Papiers (intérieur) et Graphicat (couverture)
Création graphique: Bruno Douin

© 2008 Éditions Milan
300, rue Léon-Joulin,
31101 Toulouse Cedex 9, France
www.editionsmilan.com
Loi 49-956 du 16 juillet 1949 sur les publications
destinées à la jeunesse.
Dépôt légal: 3ᵉ trimestre 2008
ISBN: 978-2-7459-3114-6

Achevé d'imprimer en Espagne par Novoprint

Linda Chapman

## La pièce de théâtre

traduit de l'anglais
par Élise Poquet

MILAN
jeunesse

# 1. Une nouvelle importante

— Dépêche-toi, Lili, s'écria Saphir. Il ne faut pas arriver en retard à la réunion !

Lili mangea une dernière touffe d'herbe puis traversa au galop les prés du Clair-de-Lune pour rattraper Saphir, Foudre et Zéphyr, ses trois meilleurs amis. Ils se mêlèrent aux autres élèves de l'École des licornes qui allaient vers le champ des Assemblées, dans un bourdonnement de conversations animées.

— Je me demande ce qu'on va nous annoncer, commenta Foudre, un animal d'une haute stature, à la crinière grise.

Lili, dont la tête n'arrivait qu'à l'épaule de son ami, se sentait toujours toute petite auprès de lui.

— Quelque chose de super, j'espère ! lança-t-elle avec enthousiasme.

Saphir sourit et enfouit ses naseaux dans l'encolure de Lili.

— Il te faut toujours des aventures passionnantes, pas vrai ? commenta-t-elle.

— Ouais ! acquiesça Lili, en secouant sa crinière.

— Peut-être qu'il y aura une autre compétition de vol ce mois-ci, suggéra Zéphyr, plein d'espoir.

Ce bel animal, passionné de sports, aimait beaucoup voler.

— Pourvu que ce soit un concours de magie, intervint Foudre. Ce serait génial !

— Allons voir de quoi il s'agit ! lança Lili, accélérant l'allure.

Alignés le long du champ, les professeurs veillèrent à ce que tous les élèves se calment et se tiennent correctement.

Lili retrouva ses camarades de première année. Trois elfes grands et minces, travaillant à l'école, s'avancèrent alors au pas sur le terrain. Le premier soufflait dans une corne blanche. Les deux autres marchaient derrière lui, suivis de Tricorne, le directeur. Il monta sur l'estrade et tout le monde se tut.

– Bonjour à tous, lança le directeur à la corne d'or, d'argent et de bronze. Comme vous le savez, j'ai une nouvelle importante à vous communiquer aujourd'hui.

Lili et Saphir se regardèrent, frémissant d'excitation.

– Les professeurs et moi-même avons décidé de monter une pièce de théâtre, déclara Tricorne.

Des chuchotements enthousiastes accueillirent ses paroles.

– Une pièce ! murmura Lili, ravie. J'adore jouer !

– Wouah ! fit Saphir.

Le directeur leva la main pour obtenir le silence.

– Il s'agit de *La Belle au bois dormant*, pour-suivit-il. Elle sera présentée le dernier jour du trimestre, lorsque vos parents viendront vous chercher. Fiona, notre professeur de chant, a proposé d'organiser le spectacle. Thomas, notre nouveau professeur de sortilèges et enchante-ments, sera chargé de tout ce qui concerne les coulisses, les costumes et le décor. Tout le monde peut participer aux auditions pour les différents rôles ou se porter volontaire pour aider Thomas dans son travail. Fiona, voulez-vous nous parler des auditions ?

Une licorne gris pommelé quitta le rang des professeurs et se dirigea vers l'estrade. La créa-ture, toute en rondeurs, semblait très joviale. Elle portait une écharpe violette autour du cou. Sa corne scintillait d'un éclat de bronze.

– Les élèves qui souhaitent jouer dans la pièce devront passer un essai, annonça-t-elle. Les inscriptions se feront à l'Arbre parleur. Un parchemin affichant les différents rôles y sera placardé aujourd'hui, dès la récréation du matin. Il vous suffit d'effleurer avec votre corne celui qui vous intéresse. L'arbre vous donnera l'heure de votre audition et le texte que vous devrez apprendre. On vous demandera de chanter et de jouer la comédie.

Tricorne s'approcha de Fiona.

– Je vous souhaite bonne chance à tous, déclara-t-il. Maintenant, passons à d'autres informations moins palpitantes. En raison des grandes marées, nous sommes obligés de reporter le cours de vision à distance prévu aujourd'hui. Il nous faut également annuler la course. Les bourrasques qui soufflent sur le col des Grands Vents sont trop fortes pour qu'on puisse s'entraîner.

Lili écouta d'une oreille distraite la suite des annonces concernant la journée. Elle ne pouvait s'empêcher de songer à la pièce de théâtre.

« Je veux être la Belle au bois dormant », décida-t-elle.

Elle se voyait déjà faire la révérence à la fin de la représentation, et entendait les éloges des spectateurs qui n'avaient jamais vu une meilleure Belle au bois dormant… Elle ferma les yeux et poussa un soupir de satisfaction. Puis elle sentit une corne lui piquer l'encolure, la ramenant brusquement à la réalité. Elle sursauta, sous les yeux amusés de Zéphyr.

– Réveille-toi, ma vieille. Tu ne peux pas t'endormir ici !

La petite licorne réalisa que tous les élèves quittaient le champ des Assemblées. La réunion était terminée et elle ne s'en était même pas rendue compte.

– Je pensais à la pièce, dit-elle, les yeux brillants. C'est super, non ?

– Il n'y a pas de quoi en faire tout un plat, répliqua Zéphyr. Comment peut-on avoir envie de jouer dans un truc idiot ? J'aurais mille fois préféré que Tricorne nous annonce une compétition de vol.

– Comme d'habitude, observa Lili.

– C'est parce que j'adore ça, répondit son ami.

– Les pièces, c'est beaucoup mieux, déclara Lili.

Saphir et Foudre hochèrent la tête.

– Moi, j'ai envie de travailler en coulisses, intervint ce dernier. J'aimerais beaucoup réaliser les décors.

– Et toi, Saphir ? interrogea Lili. Ça t'intéresse aussi ?

Saphir, une très jolie licorne aux longs cils noirs et à la crinière soyeuse, était plutôt timide.

– En fait, répondit-elle, je crois que j'aimerais bien passer une audition.

– C'est vrai ? lâcha Lili, surprise.

– Quand on monte une pièce à la maison avec mes frères et sœurs, j'ai toujours le rôle principal, confia Saphir. Je sais bien que c'est juste pour nos parents… Ça m'étonnerait que je décroche un rôle dans la pièce de l'école mais j'ai pourtant envie d'essayer, même si j'ai le trac.

– Cool ! dit Lili, pensant que ce serait plus amusant de se présenter à deux à l'audition, plutôt que toute seule. On ira voir l'Arbre parleur à l'heure du déjeuner et on s'inscrira.

– Bonne idée, sourit Saphir.

## 2. L'Arbre parleur

Lili et ses amis se dirigèrent vers le champ des Enchantements pour leur première leçon de la journée. Derrière eux, scintillant au soleil, les tourelles blanc nacré du château se dressaient dans le ciel d'azur. Les élèves, qui passaient la plus grande partie de leur temps à l'extérieur, avaient cependant leurs écuries dans les nuages, au sommet des six tours. Lili, toute contente, agita la queue. Elle se plaisait vraiment à l'École des licornes. Ses parents lui manquaient, et parfois, elle regrettait même l'absence de ses frères aînés si taquins. Mais elle adorait sa vie au pensionnat et l'apprentissage de la magie, en compagnie de ses camarades.

– Je me demande ce que nous allons faire aujourd'hui au cours de sortilèges et enchantements, dit Saphir.

– C'est ma leçon préférée, lança Foudre. J'adore faire de la magie avec ma corne.

– Et c'est un sujet dans lequel tu es excellent, fit remarquer Lili.

– Pas tant que ça, répondit l'animal avec modestie.

– Mais si, renchérit Lili.

Foudre parut à la fois content et gêné.

– Tu vas te renseigner pour savoir si tu peux t'occuper des décors de la pièce ? lui demanda Saphir.

– Je ne suis qu'en première année, soupira-t-il. Thomas préfère sans doute travailler avec quelqu'un de plus âgé…

– Renseigne-toi quand même, reprit Lili.

Thomas attendit que tous les élèves de première année soient là pour commencer la leçon.

– Aujourd'hui, je vais vous apprendre à vous servir de la magie pour transformer des feuilles en plantes, annonça-t-il. Je vous donnerai d'abord trois feuilles d'un chêne magique qui pousse dans la forêt de Ronces.

Lili fit signe qu'elle avait une question.

– Oui, Lili ? s'interrompit le professeur.

– Pourquoi celles d'un chêne magique et non d'un arbre ordinaire ? demanda-t-elle avec curiosité.

– Pour transformer une feuille ordinaire, il faut un haut degré de magie, expliqua Thomas. C'est beaucoup plus simple d'utiliser une feuille de chêne magique. Comme elle est déjà chargée de pouvoirs, on peut la transformer bien plus facilement. Comment reconnaissez-vous les feuilles de chêne magique ?

– Elles ont toujours un petit point d'or à la base de la tige, répondit Foudre.

– C'est juste, approuva Thomas. De même, les racines, tout comme chaque plante ou élément d'un arbre magique tels que les glands ou les branches, possèdent elles aussi un point d'or. Bien, nous allons commencer. Regardez la feuille sur le sol et imaginez une plante à sa place. Visualisez tous ses détails. La couleur et la taille des fleurs, le type de feuillage. Puis, effleurez la feuille de chêne avec votre corne et attendez que la magie fasse son effet.

Une demi-heure plus tard, Lili contemplait sa pauvre plante avec sa fleur violette retombant mollement à l'extrémité de sa longue tige. Celle de Saphir arborait des fleurs roses toutes penchées dans le même sens, comme si elles étaient soufflées par le vent. Zéphyr n'avait qu'une mauvaise herbe devant les yeux.

– C'est ça que tu as imaginé ? demanda Lili.

– Non, lâcha Zéphyr avec dépit. J'essayais de me représenter une fleur de tournesol…

– Je crois que tu as besoin de travailler tes capacités de transformation ! s'esclaffa la petite licorne.

– Tu peux parler ! sourit Zéphyr. Regarde ce que tu as réussi à faire !

Lili éclata de rire. Elle devait admettre qu'il avait raison…

Zéphyr jeta un coup d'œil à Foudre, le seul élève à avoir réussi à transformer ses trois feuilles. La première avait maintenant l'aspect d'une jolie petite plante, couverte de fleurs pourpres en forme d'étoiles. La deuxième était désormais une ronce, enroulée autour d'un tronc d'arbre, et la troisième s'était métamorphosée en un beau massif de roses.

– C'est vraiment bien, commenta Zéphyr au moment où arrivait Thomas.

– Excellent travail, Foudre, acquiesça le professeur. Est-ce que tu aimerais participer à la réalisation des décors pour la pièce ?

– Vous êtes sérieux ? s'exclama Foudre. Bien sûr que oui !

– Bon, je vais proposer des cours supplémentaires de sortilèges et enchantements aux licornes qui veulent nous aider. Le premier aura lieu dimanche après-midi. Je te verrai là-bas.

À ces mots, le professeur s'en alla. Foudre, ravi, regarda ses amis. Lili sourit.

– Je t'avais dit que Thomas aurait besoin de toi, dit-elle.

Puis elle se tourna vers Saphir et ajouta :

– J'espère que nous pourrons avoir un rôle dans la pièce.

– Nous devrions aller jusqu'à l'Arbre parleur pour nous inscrire aux auditions, enchaîna Saphir. Et toi Zéphyr, tu ne veux pas faire un essai pour la pièce ?

– Vraiment pas, répliqua celui-ci. Tu viens, Foudre ? On va jusqu'aux prés du Clair-de-Lune.

Lili et Saphir quittèrent leurs amis et s'engagèrent en direction du champ des Assemblées. L'Arbre parleur se trouvait tout au fond, près de l'estrade. Il était très haut, avec un tronc énorme. Son feuillage vert brillait d'un éclat argenté.

– Voilà la liste ! s'exclama Saphir, désignant le parchemin accroché à l'écorce.

Trois autres élèves se tenaient debout près de l'arbre. Parmi eux se trouvaient Comète, un camarade de troisième année.

– Salut vous deux ! lança-t-il. Vous êtes venues vous inscrire ? Tous les rôles sont indiqués ici.

Lili se mit à lire le nom des personnages et leur description.

*La Belle au bois dormant : elle est jeune, timide et d'une grande beauté. Il s'agit d'un rôle important, avec beaucoup de chants et de jeux de scène.*

*Le Prince : il est beau, fort et plein d'entrain. Le rôle comporte quelques chants et jeux de scène.*

*La Méchante fée : un vilain personnage doté d'un rire horrible, sonore et effrayant. Quelques chants.*

*Les Fées marraines : elles sont huit. Doivent être capables de bien voler. Un peu de chant.*

*Le Roi : un personnage sage, noble et bien-veillant. Pas de chant.*

*La Reine : un personnage noble et aimant. Pas de chant.*

Venait ensuite une liste de rôles mineurs : les animaux de la forêt et les serviteurs du palais.

Lili ne prit pas la peine de lire leur description. Les petits rôles ne l'intéressaient pas !

– Je vais auditionner pour le rôle du Prince, déclara Comète.

Il effleura la liste de sa corne. Une cascade d'étincelles dorées jaillit au-dessus de lui. Lili en eut le souffle coupé et Saphir bondit en arrière. Comète poussa un cri de surprise.

– Wouah ! Qu'est-ce qui se passe ?

Les étincelles dorées se collèrent les unes aux autres, formant des lettres indiquant : *Comète, samedi matin, 10 heures.*

– Ça doit être l'heure de mon audition !

Au moment même où Comète disait cela, un morceau de parchemin tomba de l'arbre. Tout le monde le fixa des yeux.

– C'est une des scènes de la pièce, commenta Lili.

Les étincelles dorées écrivirent à nouveau des mots dans l'azur : *Apprends ton texte pour l'audition.*

– Ça alors ! s'exclama Comète, en prenant le papier avec sa corne.

– Je vais m'inscrire, intervint Saphir.

– Pour quel rôle ? s'enquit Lili.

Saphir prit une profonde inspiration.

– Celui de… la Belle au bois dormant, dit-elle, en posant sa corne sur le nom indiqué sur la liste.

Tandis que les étincelles dorées jaillissaient en l'air, Lili regarda Saphir, bouche bée. Elle n'aurait jamais imaginé que celle-ci se présente pour le rôle principal.

*Saphir, Belle au bois dormant, samedi, 10 h 40,* indiquaient les lettres.

– Tu avais dit que tu avais le trac, et tu auditionnes pour le rôle le plus important ! s'exclama Lili.

– Je sais, répliqua Saphir au moment où un morceau de papier tourbillonnait vers le sol. Je ne l'aurai pas. Je suis sûre de ne pas avoir le niveau, mais ce sera amusant de passer l'audition. Et toi ? Tu vas aussi te présenter pour la Belle au bois dormant ?

– J'en avais l'intention, mais… bredouilla Lili.

Elle éprouvait un sentiment étrange.

« Cela me tente beaucoup, songeait-elle. Mais dans ce cas, nous serions toutes les deux en compétition pour le rôle. »

– Et alors ? reprit Saphir.

– Ça ne te gêne pas si j'essaie aussi ? lâcha prudemment Lili.

– Bien sûr que non, répondit Saphir. Il y aura plein d'autres élèves qui sont intéressées, elles aussi.

Lili, soulagée, effleura la liste avec sa corne et se sentit aussitôt parcourue de picotements, de la corne jusqu'aux sabots. Des étincelles dorées jaillirent dans l'air. Elle cligna de l'œil et lut le message qui lui était adressé : *Lili, Belle au bois dormant, samedi, 10 h 30.*

Puis, le texte de son audition tournoya sous les branches de l'arbre. Elle se baissa pour le ramasser.

– Nous ferions mieux d'apprendre nos répliques, lâcha-t-elle, toute excitée. Ne perdons pas de temps.

# 3. L'audition

Après le dîner, Lili et Saphir s'installèrent dans un coin tranquille des prés du Clair-de-Lune pour s'exercer. Elles devaient toutes deux travailler le même texte, et se mettre dans la peau de la Belle au bois dormant s'en allant explorer le château, le matin de ses seize ans…

Après avoir terminé leur répétition, elles retournèrent vers les écuries.

– Je me demande si l'une de nous deux obtiendra le rôle, dit Saphir.

– J'espère que oui ! répliqua vivement Lili.

– Pour moi, ça n'a pas trop d'importance, commenta son amie. Ce serait super d'être la Belle au bois dormant, mais j'aimerais aussi incarner une des Fées marraines ou même l'un des animaux des bois.

Lili, quant à elle, n'avait pas la moindre envie d'être un animal ou une fée.

«Pourvu que je sois la Belle au bois dormant», pensa-t-elle.

Le samedi matin, les deux licornes volèrent jusqu'au champ des Assemblées, où se tenaient les auditions. Elles arrivèrent au moment où Comète passait son essai pour le rôle du Prince. Debout sur l'estrade, il agitait sa corne d'un côté et de l'autre, comme s'il se frayait un chemin dans les ronces. Il poussa un hennissement de triomphe, puis s'avança au milieu de la scène.

– On m'a parlé d'une belle princesse endormie dans un château au fond de ces bois, déclama-t-il. Je dois la délivrer de son sommeil enchanté.

Il commença à chanter d'une voix claire et puissante.

*Je dois partir à travers bois, bravant la pluie, la grêle, la neige et les vents froids,*

*Je dois me frayer un chemin dans les broussailles, avant d'atteindre le château et ses murailles.*

– Il est doué, n'est-ce pas ? chuchota Saphir.

Lili acquiesça. Elle était impatiente de passer l'audition.

Saphir piétinait le sol avec nervosité.

– J'ai les chocottes, lâcha-t-elle. Peut-être que je ne devrais pas me présenter. Il vaut mieux que je renonce. Je crois que…

– Ça ira ! déclara Lili. Il suffit que tu récites ton texte comme tu l'as fait hier soir avec moi. Tu es vraiment bonne, Saphir.

– Très bien, lança Fiona à Comète, qui venait de terminer. Je suis contente de toi.

Ce dernier quitta l'estrade, l'air ravi.

– Maintenant, nous allons nous occuper du rôle de la Belle au bois dormant, annonça Fiona. Il y a cinq candidates : Cannelle, Myrtille, Lili, Stella et Saphir. Cannelle, veux-tu venir ici ?

Cannelle, une jolie licorne de troisième année, monta sur l'estrade et commença à réciter le texte que Saphir et Lili avaient répété la veille. Mais elle le fit d'une toute petite voix, si bien que les deux amies comprirent à peine ce qu'elle disait.

– Elle ne parle pas assez fort, chuchota Lili à Saphir.

Elle chantait bien, cependant, et Fiona lui adressa un sourire lorsqu'elle quitta l'estrade.

– Merci Cannelle, lança-t-elle. Puis, consultant sa liste, elle ajouta : Myrtille, c'est ton tour !

Myrtille était une élève de deuxième année. Elle avait un visage allongé et semblait timide. Pendant son audition, elle oublia son texte à quatre reprises.

– Tu es cent fois meilleure que ces deux-là, fit remarquer Saphir à Lili. Bonne chance !

« Oh, pourvu que ça se passe bien ! », pensa la petite licorne.

Fiona l'appela.

Lili trotta sur la scène. Elle regarda tous les élèves qui assistaient aux auditions et se sentit aussitôt confiante. Elle allait bien s'amuser !

D'une voix sonore et claire, elle commença :

*J'ai seize ans aujourd'hui. Je me demande ce que je vais faire. Et si j'explorais le château ?*

Elle termina sa tirade sans une seule faute et enchaîna avec la chanson de la Belle au bois dormant.

– Excellent ! commenta Fiona en souriant. Belle prestation, Lili !

La petite licorne descendit l'estrade, toute joyeuse.

– Bien joué, murmura Saphir.

– Merci, souffla son amie.

Elles se turent pour écouter Stella. La candidate récita son texte avec raideur.

– Tu t'es débrouillée bien mieux qu'elle ! D'ailleurs, tu as surpassé tout le monde, chuchota Saphir. Puis elle ajouta d'un air inquiet :

– C'est mon tour ! J'espère que ça ira.

– Bonne chance, lança Lili.

Saphir se dirigea vers l'estrade. Lili s'imagina en Belle au bois dormant, face à la foule des spectateurs, debout, en train de l'acclamer tandis qu'elle saluait à la fin du spectacle…

La voix de Fiona l'arracha soudain à sa rêverie.

– Merci, Saphir, disait le professeur. Très bonne audition !

La petite licorne cligna de l'œil.

– Oups ! marmonna-t-elle. Je n'ai même pas vu Saphir…

Celle-ci quitta l'estrade et rejoignit Lili.

– C'était comment ? s'empressa-t-elle de lui demander.

– Très bien, répondit Lili en se mordant la lèvre inférieure.

– J'avais vraiment le trac au début, enchaîna Saphir. J'ai cru que tout le monde m'entendait trembler. Puis, comme Fiona semblait contente, je me suis dit que ce ne devait pas être trop mal. Mais sûrement pas aussi bien que toi, lâcha-t-elle précipitamment. Tu étais géniale, Lili. Je parie que tu obtiendras le rôle de la Belle au bois dormant.

À ces mots, Lili se fendit d'un grand sourire.

Fiona s'adressa alors aux élèves.

– Je remercie tous les candidats qui se sont présentés. Il n'y aura qu'une seule Belle au bois dormant. Cependant, je vais réfléchir aux autres rôles que je pourrai vous attribuer. Je n'ai personne pour incarner la Méchante fée. Il faudra aussi que je choisisse toutes les Fées marraines. Cannelle, Lili et Saphir, vous reviendrez demain pour la deuxième audition de la Belle au bois dormant. Topaze, Sultan, Mélodie, Améthyste, Corail et Solitaire auditionneront pour les rôles de fées.

– Une seconde audition ! s'exclama Saphir.

Lili, tout excitée, rejeta sa tête en arrière.

« La Belle au bois dormant sera donc Saphir, Cannelle ou moi, songea-t-elle. Si seulement c'était moi… »

# 4. Deuxième audition

Quelques heures plus tard, Lili écrivit une lettre à ses parents. Les licornes pouvaient écrire. Il leur suffisait d'effleurer le papier avec leur corne magique et de penser à ce qu'elles voulaient dire pour que les mots apparaissent. Les lettres étaient appelées « e-mail », abréviation de « elfes-mails », car les elfes se chargeaient de leur expédition en se servant, eux aussi, de leurs pouvoirs.

Lili avait hâte de raconter les auditions à ses parents. Plus elle y pensait, plus elle avait espoir de décrocher le rôle de la Belle au bois dormant. Elle commença rapidement sa missive :

*Chers papa et maman,*

*J'espère que vous allez bien. Nous préparons une pièce pour l'école. Il s'agit de la Belle au bois dormant. J'ai passé l'audition aujourd'hui, et devinez quoi! Je crois que ce sera moi qui jouerai la princesse. D'après Saphir, je me suis très bien débrouillée. Et la professeur a également dit la même chose. Nous présenterons le spectacle en fin de trimestre. Vous pourrez donc venir me voir jouer. Répondez-moi vite.*

*Je vous embrasse bien fort,*
*Lili*

Elle prit la lettre dans sa bouche et trotta en direction du château. Les elfes qui s'occupaient de la poste travaillaient dans une grande salle à gauche de la porte d'entrée. Lili frappa poliment.

– Entrez! fit une voix.

La petite licorne s'avança dans la salle à haut plafond. De grandes fenêtres laissaient entrer la lumière sur chaque côté. Un grand elfe aux oreilles pointues était assis derrière un bureau près d'une fenêtre. À l'autre bout de la pièce, ses trois compagnons étaient occupés à trier les quatre piles de courrier entassé devant eux.

– Oui ! lança le grand elfe à Lili. Que puis-je faire pour toi ?

– J'aimerais envoyer ceci à mes parents, répondit la petite licorne en lui tendant la lettre.

– Comment s'appellent-ils ? s'enquit son interlocuteur.

– Sultane et Mirage, répondit Lili.

L'elfe plongea une longue plume d'oie dans sa merveilleuse encre violette et écrivit soigneusement les noms sur l'enveloppe. Lili jeta un œil par la fenêtre, presque entièrement cachée par les branches inférieures d'un chêne. Elle remarqua alors que chaque feuille était ornée d'un point d'or, tout près de la tige.

« Un chêne magique », conclut-elle pour elle-même.

L'elfe referma l'enveloppe.

– Voilà. Elle est prête à partir, annonça-t-il. Touche-la avec ta corne, Lili.

La petite licorne effleura l'enveloppe. L'elfe frappa à deux reprises dans ses mains. La lettre s'éleva dans les airs, tourbillonna deux fois et disparut en faisant un petit bruit sec.

– C'est fait ! déclara l'elfe. Normalement, elle arrivera chez toi demain.

Lili quitta le bureau. Elle se demandait ce que ses parents diraient en recevant la lettre. Ils seraient tellement fiers d'elle si elle obtenait le rôle de la Belle au bois dormant…

– Tu l'auras ! fit une petite voix dans sa tête. Tu sais que tu l'auras !

Le lendemain matin, Lili et Saphir se rendirent à la deuxième audition. Elle était très différente de la veille. Fiona commença par leur décrire la Belle au bois dormant en train d'explorer le château, et leur demanda de jouer chacune à leur tour, en improvisant leur texte. Puis, deux par deux, les candidates lurent une scène dans laquelle la Méchante fée déployait toutes ses ruses pour convaincre la Belle au bois dormant d'utiliser le rouet.

Lili et Saphir se donnèrent la réplique. Lili prit beaucoup de plaisir à jouer la Méchante fée, piétinant l'estrade avec rage, secouant furieusement sa crinière. Elle fit même voler des étincelles d'argent dans l'air au moment où elle tentait de persuader Saphir de tourner le rouet.

– Génial ! s'écria Fiona. Belle performance, Lili ! Maintenant, laisse-moi voir si tu joues aussi bien la Belle au bois dormant.

Lili et Saphir inversèrent leurs rôles.

– C'était merveilleux, les félicita la professeur à la fin de la scène. Lili, tu es adorable en Belle au bois dormant.

La petite licorne rayonna de joie.

Fiona demanda enfin à Cannelle, Lili et Saphir de prononcer à nouveau le discours qu'elles avaient dû mémoriser la première fois. Lili fit tout son possible pour s'exprimer d'une voix forte et assurée, et fut complimentée par Fiona. Elle quitta l'estrade et laissa la place à Saphir. Cette fois, bien décidée à ne pas perdre une miette du spectacle, elle observa son amie avec grande attention.

Celle-ci se tenait au centre de l'estrade. Elle cligna ses longs cils d'un air timide et commença à parler. Sa voix n'était pas très puissante, mais on l'entendait distinctement. Et son manque d'assurance, son air timide et sa nervosité correspondaient tout à fait à l'image de la Belle au bois dormant.

– Tu étais super ! lui déclara Lili.

– Merci, sourit son amie. J'avais vraiment le trac, mais ça m'a plu.

– Nous avons terminé, intervint Fiona. Je transmettrai la liste des rôles à l'Arbre parleur ce soir, après le dîner. Vous pourrez donc savoir quel est le vôtre.

Lili toucha à peine à sa nourriture. Elle était si excitée qu'elle en avait des nœuds à l'estomac.

« Qui sera la Belle au bois dormant ? songeait-elle. Je me suis mieux débrouillée que Cannelle, j'en suis sûre. Oh, j'espère que j'aurai le rôle. »

Foudre coupa court à ses pensées.

– Tu ne vas pas le finir ? demanda-t-il en lorgnant son seau de nourriture.

– Non, je n'ai pas grand appétit.

– Eh bien moi, j'ai une faim de loup, enchaîna son ami. Cet après-midi, je suis allé à mon premier cours supplémentaire de sortilèges et enchantements.

– C'était comment ?

– Très bien, répliqua Foudre. On s'est entraînés à changer des feuilles en ronces. J'ai réussi à en transformer plus que les autres. Thomas m'a donc demandé de réaliser les décors de la forêt enchantée, en utilisant ma magie.

– Wouah ! s'exclama Saphir. Cela représente un gros travail !

Foudre acquiesça.

– Je pensais qu'on l'aurait confié à l'un des élèves plus âgés…

– Mais Thomas a décidé que tu t'en occuperais ! fit Lili en posant ses naseaux sur son encolure. C'est super, Foudre !

– Moi aussi, j'ai de bonnes nouvelles à vous annoncer, intervint Zéphyr, levant les yeux de son seau. Il y aura une démonstration de vol avant la pièce et on m'a proposé de participer.

— Super ! fit Lili.

Saphir se tourna vers son amie.

— Pourvu que nous ayons de bons rôles dans la pièce, dit-elle. Ainsi, tout le monde s'amusera bien.

— Je ne peux pas attendre plus longtemps, lâcha Lili, délaissant sa nourriture. Allons voir si la liste est affichée sur l'Arbre parleur.

Lili et Saphir n'étaient pas les seules à partir avant la fin du repas. La plupart des licornes qui s'étaient présentées à l'audition avaient quitté la table et se dirigeaient maintenant vers le champ des Assemblées. La petite licorne les suivit, le cœur battant. En s'approchant de l'arbre, elle aperçut un morceau de papier blanc fixé sur le tronc.

— La liste ! cria-t-elle, accélérant l'allure.

Tous les élèves galopèrent vers l'arbre. Saphir, devançant son amie, se fraya un passage entre ses camarades et se retrouva face à la liste.

– C'est moi qui ai le rôle du Prince ! hennit Comète.

Lili entendit Saphir pousser un cri.

– Qu'est-ce qui se passe ? Quel rôle tu as ? questionna Lili.

Saphir, les yeux agrandis de surprise, se tourna vers elle et répondit :

– Je suis… la Belle au bois dormant.

# 5. La Méchante fée

*L*ili sentit ses oreilles bourdonner et le sang lui monter à la tête. Elle contempla Saphir.

« Elle ne peut pas être la Belle au bois dormant, se dit-elle. Ce n'est pas possible. »

– Bien joué, Lili, intervint Comète. Tu es la Méchante fée. C'est l'un des principaux rôles.

La petite licorne parvint à se glisser entre ses camarades et fixa la liste, agitée par la brise :

*La Belle au bois dormant : Saphir*
*La Méchante fée : Lili*
*Le Prince : Comète*
*Le Roi : Apollon*

*Les Fées marraines :* Cannelle, Topaze, Stella, Rubis, Mélodie, Améthyste, Myrtille et Solitaire.

Elle éprouva soudain une terrible déception.

« Je n'ai pas du tout envie d'être la Méchante fée, se disait-elle. D'ailleurs, je n'ai même pas auditionné pour ce rôle ! »

Elle aurait tant voulu être la belle princesse… Elle s'était imaginée, chantant sur scène, coiffée d'un chapeau rose, puis s'inclinant devant les spectateurs enthousiastes…

Elle recula peu à peu et rejoignit Saphir qui l'attendait à l'écart, l'air inquiet.

– Euh… bravo pour le rôle de la Méchante fée, bredouilla son amie.

Lili ne sut que dire. Elle avait envie de pleurer, mais elle se retint pour ne pas troubler Saphir. Oubliant ses espoirs déçus, elle se força à sourire.

– Merci, marmonna-t-elle. Félicitations à toi aussi. Tu seras formidable en Belle au bois dormant.

À ces mots, ses yeux lui piquèrent. Elle se baissa aussitôt et se frotta la jambe avec les naseaux pour cacher ses larmes.

– Ça t'ennuie que je sois la Belle au bois dormant ? demanda Saphir. Je sais que tu en avais très envie, toi aussi.

Lili ravala ses pleurs et se redressa.

– Non, ça ne me gêne pas du tout, mentit-elle.

– Sinon, je peux demander à Fiona de te donner le rôle, lâcha-t-elle, d'un ton peu assuré.

– Je t'assure que non, protesta Lili. C'est toi que Fiona a choisie et j'en suis ravie, Saphir. Et puis, ça me fait vraiment plaisir d'être la Méchante fée.

– Très bien, déclara Saphir, visiblement soulagée. Allons prévenir Foudre et Zéphyr.

Elle partit au galop. Lili la suivit avec moins d'entrain.

« Je ne suis pas la Belle au bois dormant », se désola-t-elle.

Elle songea à la lettre qu'elle avait écrite à ses parents. Il faudrait leur écrire à nouveau pour leur annoncer qu'elle n'avait pas obtenu le rôle.

Elle était la Méchante fée… À cette pensée, son cœur se serra.

Ce fut difficile d'observer tous ses camarades félicitant Saphir ce soir-là. Elle s'en voulut de ne pas être plus heureuse pour son amie, mais elle avait tant espéré être à sa place que cela lui semblait impossible…

Puis, l'heure du coucher sonna enfin, à son grand soulagement.

– Bonne nuit Lili, souffla Saphir depuis son box.

– Bonne nuit, répliqua Lili, s'efforçant de paraître enjouée.

– J'ai vraiment hâte d'être aux répétitions, continua Saphir, d'un air rêveur.

Lili marmonna et s'étendit sur le sol mou et cotonneux de son box. Elle poussa alors un soupir et ferma les yeux.

La première répétition eut lieu le lendemain après-midi.

– Voici vos textes, annonça Fiona. Je vous donne deux semaines pour les apprendre.

– On peut s'entraîner ensemble, chuchota Saphir à Lili.

– Et avant de commencer, je tiens à préciser une chose, poursuivit Fiona. Je vais choisir des élèves qui doubleront les acteurs principaux au cas où ces derniers seraient malades le jour du spectacle. Les doublures doivent donc apprendre deux textes : le leur et celui des licornes qu'elles peuvent être amenées à remplacer. Lili, j'aimerais que tu doubles la Belle au bois dormant. Apollon, tu doubleras le Prince, et Stella, tu te chargeras des répliques de la Méchante fée.

Lili accueillit ces nouvelles avec un sentiment mitigé.

« Ce sera amusant de doubler Saphir, se dit-elle. Mais ce ne sera pas facile de m'entraîner sur le rôle que je voulais à tout prix avoir… »

Fiona leva sa corne, faisant jaillir une pluie d'étincelles dans le ciel.

– Mettons-nous au travail, lâcha-t-elle. Nous allons commencer par la première scène.

Au fur à mesure de la répétition, Lili sentit renaître sa bonne humeur. Fiona demanda aux élèves de s'installer sur la scène, et les guida dans leurs déplacements tandis qu'ils lisaient leur texte. Même si la petite licorne aurait préféré être la Belle au bois dormant, elle prit plaisir à jouer la Méchante fée. Elles répétèrent d'abord la scène du baptême, peu après la naissance de la Belle au bois dormant. La Méchante fée était hors d'elle car on ne l'avait pas invitée à la cérémonie. Lili devait voler jusqu'à l'estrade, puis s'avancer d'un pas décidé en effrayant tout le monde. Son rôle comportait de nombreuses répliques et elle pouvait aussi faire de la magie.

Elle frappa le sol d'un coup de corne pour faire jaillir une gerbe d'étoiles noires et laissa dans son sillage un arc de fumée verte.

– Génial ! s'écria Fiona.

– Le jour de ses seize ans, poursuivit la petite licorne, cet enfant se piquera la main sur un fuseau, et elle en mourra.

La professeur applaudit.

– Tu es super en Méchante fée, lança Comète avec enthousiasme.

Lili avait déjà pris son envol. Elle était contente d'elle. Le rôle qu'elle avait dédaigné commençait finalement à lui plaire !

Après la répétition, Saphir et elle retournèrent aux prés du Clair-de-Lune. Foudre vint à leur rencontre au galop.

– Comment ça s'est passé ? demanda-t-il.

– Très bien, répondit Saphir.

– Et toi ? s'enquit Lili. Tu as trouvé ce que tu voulais dans les bois ?

– Plus ou moins, répliqua leur ami. J'ai ramassé suffisamment de feuilles pour faire les branchages, mais je manque de glands pour les arbres. Tous ceux qui participent aux décors en cherchent aussi… Il n'y en a pas beaucoup à cette époque de l'année. J'en ai presque assez pour représenter la forêt enchantée, à condition de ne pas me tromper.

– Tu y arriveras, affirma Lili en souriant. C'est toi qui feras le plus beau décor.

– J'espère, acquiesça Foudre.

# 6. Foudre a des ennuis

Au cours des semaines suivantes, une grande effervescence régna à l'école. Chaque jour, les acteurs répétaient leurs scènes et leurs chansons. Les régisseurs s'activaient en coulisse, préparant les décors et les costumes. Les membres de l'équipe de vol peaufinaient leur spectacle aérien.

Lili et Saphir profitaient de la moindre occasion pour s'entraîner. Lili apprit le texte entier par cœur, mais Saphir avait du mal à mémoriser le sien. Plus la date du spectacle approchait, plus elle était anxieuse.

– Je n'arriverai jamais à me rappeler ce que je dois dire, lâcha-t-elle à son amie. Il ne me reste plus qu'une semaine et je continue à me tromper.

– Tu te débrouilleras très bien, affirma Lili, d'un ton assuré.

– Non, geignit Saphir. Je n'aurais pas dû être la Belle au bois dormant. Je ne suis pas assez bonne.

– Mais si, répliqua la petite licorne.

– Non, je suis nulle.

– Ne sois pas stupide. Tu es géniale, Saphir. Je t'assure.

Des élèves plus âgés étaient chargés des accessoires. Émeraude, une des costumières, se posa sur le sol à ce moment-là.

– Saphir, est-ce que je peux te voir pour les essayages ? Je veux être sûre que ta tenue de mariage te va.

– D'accord, acquiesça Saphir, suivant Émeraude au galop.

Lili, qui avait vu les costumières à l'œuvre le matin, éprouva un pincement de jalousie. La tenue, tout en rose, se composait d'un haut chapeau à voilette posé sur la corne et d'une longue traîne blanche brodée de perles. Elle était magnifique…

« J'aurais bien aimé la porter… », songea la petite licorne.

Elle se dirigea vers le champ des Assemblées, où travaillait l'équipe chargée des décors. Elle pensait y trouver Foudre. Les décors des premières scènes étant achevés, c'était maintenant à son tour de créer la forêt enchantée.

Il se tenait près de la scène, à côté de Zéphyr. Autour d'eux, le sol était jonché de glands, mais au lieu d'un bosquet et des branchages, Foudre semblait avoir produit des joncs des marais, penchés çà et là… Les deux amis contemplaient les plantes d'un air affligé.

– Salut ! s'écria Lili, intriguée. Qu'est-ce qui se passe ?

Foudre poussa un soupir.

– J'essaie de fabriquer les arbres de la forêt enchantée, mais ma magie rate à chaque fois, et voilà le résultat.

Il désigna les joncs de sa corne.

– Oh ! fit Lili.

– Je ne sais pas quoi faire, poursuivit Foudre. Il ne me reste presque plus de glands magiques. Juste assez pour les arbres. Mais si je continue à les gaspiller ainsi, la forêt va être minuscule.

Lili fronça les sourcils.

– Tu ne peux pas en avoir d'autres ?

– Je suis allé dans les bois ce matin, mais je suis rentré bredouille, expliqua Foudre. Je dois absolument réussir avec les glands que j'ai.

– Essaie encore, intervint Zéphyr. Et concentre-toi du mieux que tu peux.

Foudre acquiesça et avança d'un air inquiet vers l'un des glands. Les yeux légèrement fermés, il se pencha pour l'effleurer avec sa corne. Puis il se redressa tout d'un coup.

– Je n'y arrive pas ! se désola-t-il. Et si je rate encore ?

– Il faut que tu essaies, insista Lili.

– Vas-y ! enchaîna Zéphyr.

Foudre ravala sa salive et ferma les paupières. Cette fois, il toucha le fruit. Il y eut un éclair mauve. Lili retint son souffle.

Une brassée de joncs apparut alors devant eux. Zéphyr et Lili échangèrent un regard.

Foudre ouvrit les yeux.

– Ça recommence, lâcha-t-il. Chaque fois que j'essaie de penser à un arbre, j'ai peur de voir un amas de plantes à la place… C'est ça le problème. J'ai l'image des joncs dans la tête, et une seconde plus tard, ils apparaissent… Qu'est-ce que je vais faire ? Une forêt de joncs, c'est pitoyable !

– Tu devrais demander à Thomas de t'aider, suggéra Zéphyr.

– Mais je veux réussir par moi-même, protesta Foudre. Chacun s'est débrouillé tout seul pour les décors, et les résultats sont superbes. Thomas va penser que je suis nul si je réclame son aide.

L'animal baissa la tête.

– Et il aura bien raison… ajouta-t-il.

Lili posa les naseaux sur l'encolure de son ami.

– Mais non, Foudre. Ne crois surtout pas ça. Tu es fatigué, c'est tout. Et si tu arrêtais tes essais maintenant ? Tu reprendras demain.

– Bon, d'accord, soupira Foudre. Mais demain, pas question de rater. Mon stock de glands sera bientôt épuisé.

Les trois amis se dirigèrent vers le château.

– Où est Saphir ? s'enquit Zéphyr.

– À l'essayage des costumes, répondit la petite licorne.

– Elle connaît son texte maintenant ? demanda Foudre. Ce matin, elle avait très peur d'avoir des trous de mémoire.

– Elle a oublié quelques lignes, répondit Lili. L'ennui, c'est que plus elle panique, plus elle oublie…

« Et plus elle pleurniche », pensa-t-elle, s'en voulant aussitôt.

Elle savait bien que son amie angoissait à l'idée d'être la Belle au bois dormant. Mais elle commençait à en avoir assez de l'entendre se plaindre à propos du spectacle et de son incapacité à jouer…

– J'espère qu'elle va se ressaisir et apprendre son texte comme il faut, reprit Zéphyr.

– Moi aussi, ajouta Foudre. Pourvu que je réussisse mon décor. Je n'ai plus qu'une semaine !

Lili sentit son estomac se nouer.

« Plus qu'une semaine, se dit-elle. Il me reste très peu de temps ! »

# 7. La dispute

*L*a veille du spectacle, Fiona demanda à tous les élèves concernés par la pièce de se réunir dans le champ des Assemblées. Lili en profita pour jeter un coup d'œil aux décors, à l'une des extrémités du terrain. Foudre avait transformé presque tous ses glands en joncs avant de réussir enfin sa magie. Comme il n'avait pratiquement plus de glands, sa forêt enchantée se résumait à huit arbres.

— Hum... Pas très impressionnant, lâcha Apollon. Je m'attendais à quelque chose de mieux.

— Oui, moi aussi, poursuivit Rubis. Les autres décors sont très bien faits, mais la forêt est ratée.

– Thomas aurait dû demander à des élèves plus âgés de s'en occuper, intervint Cannelle.

Lili, qui avait entendu les commentaires, éprouva beaucoup de peine pour Foudre. Elle savait à quel point il était déçu de son travail.

« Si seulement je pouvais l'aider », songea-t-elle.

Fiona monta sur la scène et prit la parole.

– Comme vous le savez, commença-t-elle, le spectacle aura lieu demain. Les parents seront là après le déjeuner, et tout le monde assistera à la compétition de vol. Je vous appellerai un peu avant la pièce pour que vous puissiez vous préparer. Aujourd'hui, nous allons répéter quelques scènes. On va commencer avec le Roi, la Reine et les Fées marraines. En attendant, les autres peuvent réviser leur texte. Saphir et Lili, je n'aurai pas besoin de votre présence ce soir.

Saphir et la petite licorne s'éloignèrent ensemble.

– Qu'est-ce que je vais faire ? se tracassa Saphir. Je suis sûre que demain, j'aurai oublié tout mon texte…

– Mais non, répliqua Lili.

– Je parie que si, dit Saphir, remuant la queue d'un air inquiet. J'aurais bien aimé avoir moins de lignes à apprendre. Il y a des moments où je déteste être la Belle au bois dormant.

Lili se mordit la langue. Saphir n'avait aucune idée de sa chance !

– Oh, Lili, tu ignores à quel point c'est affreux d'avoir le rôle principal ! se plaignit Saphir.

À ces mots, la petite licorne ne put se retenir.

– Si tu le détestes à ce point-là, éclata-t-elle, pourquoi tu as passé l'audition ? Tu ne connais pas ta chance, Saphir. Moi, j'aurais adoré être la Belle au bois dormant. Toi, tu ne cesses de pleurnicher à cause de ton rôle. Si tu n'en veux pas, laisse tomber. Et arrête de te plaindre !

Lili, furieuse, partit au galop.

En sortant du champ, elle jeta un coup d'œil par-dessus son épaule. Son amie, ébranlée, la contemplait d'un air peiné. Lili poursuivit son chemin.

« J'en ai assez de répéter à Saphir qu'elle est douée, pensa-t-elle. Je ne supporte plus de l'entendre se plaindre et me dire qu'elle n'aurait pas dû être la Belle au bois dormant. Ce n'est pas juste ! C'est moi qui aurais dû décrocher le rôle… »

Quelques minutes plus tard, elle retrouva Foudre dans les prés du Clair-de-Lune.

– Ça va ? lui demanda-t-il.

– Oui ! lâcha-t-elle sèchement.

Comme l'animal la regardait avec des yeux surpris, elle poussa un soupir.

– Pas vraiment, avoua-t-elle. Je viens de me disputer avec Saphir. Comme elle n'arrêtait pas de gémir au sujet de son rôle, je lui ai dit de ne pas être la Belle au bois dormant.

– Elle a peur, c'est tout, observa Foudre.

– Je sais, acquiesça Lili. Mais ça m'énerve.

Elle eut soudain l'horrible sentiment qu'il allait lui dire de s'excuser auprès de leur amie. Elle s'empressa alors de changer de sujet.

– Et toi, comment ça va ?

– Pas très bien, répliqua Foudre. Tu as vu la forêt ? C'est nul. Il n'y a presque pas d'arbres. Je sais que tout le monde en parle…

Lili eut pitié de lui.

– Et si on essayait de trouver plus de glands ? suggéra-t-elle. Maintenant que tu sais comment les transformer en arbres, on peut aller en chercher d'autres tous les deux…

– Ça ne sert à rien, dit Foudre. J'ai déjà cherché partout.

– Continuons quand même, insista Lili, qui ne supportait pas de le voir si abattu. Allons-y tant qu'il fait encore jour.

– D'accord, lâcha Foudre à contrecœur.

Ils se dirigèrent vers la forêt de Ronces. Le soleil commençait juste à se coucher. L'espace d'un instant, l'image de Saphir traversa l'esprit de Lili. Elle se demanda ce que son amie était en train de faire. Elle lui avait paru si bouleversée…

« Mais maintenant, je dois aider Foudre », se força-t-elle à penser.

Ils arrivèrent enfin. Dans la forêt obscure, il était difficile de repérer les chênes magiques.

— Lumière ! murmura Lili.

Sa corne se mit à briller, projetant un faisceau lumineux. Tout près d'eux, la petite licorne remarqua un chêne aux feuilles ornées d'un point d'or.

— Voilà un chêne magique ! s'écria-t-elle.

Elle baissa la tête et plongea sa corne dans le feuillage, nimbé d'un éclat d'argent. Foudre la rejoignit. Sa corne brillait aussi, mais ils eurent beau chercher, ils ne trouvèrent pas le moindre gland.

— Allons plus loin, commanda Lili.

Ils s'enfoncèrent dans la forêt, poursuivant inlassablement leur recherche…

— On finira par en trouver, répétait Lili, confiante.

— Ça ne sert à rien, lâcha finalement Foudre, l'air malheureux. Je dois renoncer, c'est tout.

— Mais non, assura-t-elle avec fermeté. On ne reviendra pas bredouilles. Tu vas voir.

Foudre laissa échapper un sourire.

— On perd notre temps, Lili.

— Tu te trompes, insista son amie, qui ne voulait pas qu'il abandonne si facilement. C'est important pour toi. Peu importe jusqu'à quand il faut chercher. On n'ira pas se coucher tant qu'on n'a rien trouvé. D'accord ?

Foudre lui adressa un regard.

— D'accord, dit-il en souriant, d'une voix soudain déterminée.

— Nous devons repérer un chêne magique que personne n'a vu… poursuivit Lili.

— Je me demande s'il y en a près de l'école… répliqua Foudre.

— Tu as raison ! s'exclama Lili. On n'est pas du tout au bon endroit. Essayons les abords du château.

À ces mots, ses yeux s'agrandirent. L'image des branches d'arbre tout près d'une fenêtre s'imposa à elle. Elle revit les feuilles à pointes d'or collées aux carreaux…

— Je sais exactement où nous devons aller ! s'écria-t-elle. Dans la salle où des elfes trient le courrier. Allons-y !

# 8. Où est Saphir ?

*L*ili et Foudre quittèrent le bois peu après le coucher du soleil. Il commençait à faire nuit. À l'école, toutes les licornes s'apprêtaient déjà à dormir.

– Dépêchons-nous, dit Foudre. On devrait être dans nos box à cette heure-ci.

Lili acquiesça. Tandis qu'ils galopaient sous la voûte qui menait au château, elle reconnut le chêne, caché dans un bosquet d'arbres tout près des murs de l'édifice. On devinait, derrière ses branches noueuses, les fenêtres du bureau de poste.

– Le voilà ! s'écria la petite licorne.

– Tu as vu la quantité de glands ! s'exclama Foudre.

Il repoussa des naseaux toutes les feuilles tombées à terre, puis il prit les glands dans sa bouche et les glissa dans le sac accroché à son cou.

– Ils sont parfaits ! renchérit Lili, s'empressant d'aider son compagnon.

– Avec ma magie, je pourrai faire apparaître beaucoup d'arbres, observa ce dernier. Je te remercie, Lili. Sans toi, j'aurais déjà abandonné. Tu es une amie précieuse.

À ces mots, Lili éprouva un sentiment de gêne.

« Pas pour Saphir », songea-t-elle.

– Tu aides toujours les autres, poursuivit Foudre avec sincérité. Et tu sais leur redonner de l'entrain quand ils ont le moral à plat.

La petite licorne ravala sa salive. Elle n'avait pas agi ainsi avec Saphir. Au contraire ! Elle s'était montrée horrible envers elle. Saphir était bouleversée et Lili lui avait crié dessus avant de s'en aller.

« Je dois m'excuser », réalisa-t-elle.

– Je pense que ça ira comme ça, lâcha Foudre, une fois le sac plein. Je me lèverai tôt demain pour les transformer en arbres. Viens. Regagnons vite l'écurie avant de nous faire repérer par un elfe ou un professeur. Je ne tiens pas à avoir des ennuis.

En entrant dans son box, Lili jeta un œil au-dessus de la petite cloison qui la séparait de Saphir. Celle-ci était allongée sur le sol, paupières closes.

– Saphir ? murmura Lili.

Les yeux de Saphir semblèrent se fermer encore plus.

– Saphir ? répéta la petite licorne, convaincue que son amie n'était pas endormie.

Il n'y eut pas de réponse…

– Je suis désolée, continua Lili.

Mais Saphir ne cilla pas.

Lili hésita un instant, se demandant ce qu'elle allait faire. Puis on tapa à la porte du box, et un elfe passa la tête par l'ouverture.

– Il est temps de dormir, dit-il. Cessez les bavardages, s'il vous plaît.

Lili poussa un soupir.

« Demain matin, je me réconcilierai avec Saphir », décida-t-elle.

Mais quand Lili se réveilla, le box de Saphir était vide.

« Ce n'est pas dans son habitude de se lever tôt », songea la petite licorne, étonnée.

– Où est Saphir ? demanda-t-elle à Foudre, qui occupait le box voisin.

– Je ne sais pas, répondit-il. Mais il est temps que je parte si je veux terminer mes arbres à temps. Je vais commencer maintenant et je ferai une pause pour le petit déjeuner.

– Moi, je vais aller à mon entraînement de vol, enchaîna Zéphyr. À plus tard, Lili.

– Salut ! lança celle-ci, distraite, tandis qu'ils quittaient l'écurie.

Lili partit à la recherche de Saphir et la trouva finalement dans les prés, en compagnie de Cannelle et de Topaze. Comme ils répétaient une scène de la pièce, Lili s'arrêta aussitôt.

« Je ne vais pas lui faire des excuses devant les autres, décida-t-elle. Inutile de les déranger maintenant. »

Saphir l'aperçut et se détourna aussitôt. Mais Lili remarqua son air crispé et l'entendit oublier plusieurs fois son texte.

– Que se passe-t-il ? lui demanda Topaze. Tu étais bien meilleure hier.

– Je suis désolée, marmonna Saphir, au bord des larmes.

– On n'a qu'à reprendre la scène, soupira Cannelle.

Lili, craignant de troubler Saphir par sa présence, décida de s'en aller.

« Je lui parlerai pendant le petit déjeuner », pensa-t-elle.

Mais Saphir ne vint pas à table. Lili demanda à Cannelle où elle était.

– Je n'en sais rien, fit celle-ci. Elle est sans doute en train de répéter son texte. Moi non plus, je n'ai pas vraiment d'appétit. J'ai tellement le trac…

Lili mangea puis chercha à nouveau son amie, en vain. Quelques heures plus tard, elle commença à s'inquiéter.

— Je n'ai pas parlé à Saphir de toute la matinée, dit-elle à Foudre et Zéphyr quand ils se retrouvèrent pour le repas de midi.

— Moi non plus, répondit Foudre. Mais j'étais occupé à faire mes arbres dans le champ des Assemblées.

— Comment ça se passe ? s'enquit Zéphyr.

— Très bien, répliqua Foudre. Cette fois, j'ai réussi ma forêt.

— C'est génial, Foudre, intervint Lili, toute contente pour lui.

— Je me demande où est Saphir, lâcha Foudre. Vous croyez qu'on devrait partir à sa recherche ?

— Je ne peux pas vous accompagner, dit Zéphyr, l'air inquiet. Dès que j'ai fini, je dois me préparer pour la démonstration de vol.

— Très bien, fit Lili. J'irai avec Foudre.

Ce dernier hocha la tête, mais alors qu'ils quittaient la table, Thomas les interpella.

– Ne vous éloignez pas, s'exclama-t-il. Tous les élèves doivent se rendre au champ des Assemblées pour la démonstration de vol.

– Mais… commença Lili, sur le point de lui expliquer qu'elle devait retrouver son amie.

Elle retint sa langue. Elle ne tenait pas du tout à ce que Saphir se fasse punir parce qu'elle n'était pas venue déjeuner.

Foudre posa les naseaux sur son encolure.

– Ne t'inquiète pas Lili, murmura-t-il. Je parie que Saphir est en train de s'exercer et qu'on la verra tout à l'heure dans le champ des Assemblées. « Pourvu que tu aies raison », songea la petite licorne.

Dix minutes plus tard, Thomas mena tous les élèves dans le champ. De nombreux parents se tenaient debout, en rang. Lili parcourut la foule du regard, mais ne vit pas Saphir.

– Elle n'est pas là, souffla-t-elle à Foudre.

– Et la démonstration va débuter, fit remarquer celui-ci.

À ce moment-là, la musique annonçant le spectacle commença. Lili trépignait d'impatience.

« Où est Saphir ? se demandait-elle, inquiète. Pourquoi n'est-elle pas venue ? »

Sous les hourras des spectateurs, l'équipe des douze licornes exécuta un fascinant ballet aérien, piquant tantôt vers le sol, puis s'élevant à toute vitesse dans l'azur.

Lili poussa quelques acclamations, mais elle était bien trop soucieuse pour apprécier pleinement le spectacle.

À la fin de la démonstration, Zéphyr et ses camarades s'inclinèrent avec fierté devant la foule. Puis Fiona s'avança sur l'estrade.

– Bien, nous allons faire une petite pause, annonça-t-elle. Je demande aux licornes qui participent à la pièce de se regrouper pour les derniers préparatifs.

– Foudre, il faut absolument qu'on retrouve Saphir, insista Lili, tandis qu'ils rejoignaient Fiona.

– Je sais, répondit Foudre. On va aller la chercher.

Zéphyr arriva à ce moment-là.

– Tu peux venir avec moi, Foudre ? On doit terminer l'installation des décors.

– Mais…

– Allez, viens, l'enjoignit leur ami. Il y a plein de choses à faire.

Foudre regarda Lili d'un air désolé et s'empressa de rattraper Zéphyr qui s'éloignait au trot.

« Maintenant, je dois me débrouiller toute seule », se dit la petite licorne, soudain découragée.

Elle s'éloigna discrètement du groupe. Dès la sortie du champ, elle s'envola. De cette façon, elle irait plus vite. Elle aurait aussi une meilleure vue de ce qui se passait autour de l'école.

Lili survola les prés du Clair-de-Lune et le champ des Enchantements. Elle passa au-dessus du terrain de vol, puis de la plage. Toujours pas la moindre trace de Saphir… Où était-elle donc ?

La petite licorne, affolée, allait retourner à l'écurie quand elle aperçut soudain une grotte, à moitié dissimulée dans les rochers de quartz rose, au bord de l'eau. Saphir adorait cet endroit. Avec ses parois émaillées de cristaux, la grotte scintillait toujours d'une lumière rosée.

« Elle est peut-être là », songea Lili, filant vers l'entrée.

Elle s'approcha de l'ouverture, en partie cachée par la roche, et appela son amie.

– Saphir ?

L'écho d'une respiration parvint à ses oreilles.

Il y avait donc quelqu'un !

Lili se faufila rapidement dans la grotte. Son amie se tenait debout, contre la paroi du fond.

– Qu'est-ce que tu fais là ? interrogea la petite licorne, surprise.

– Va-t'en ! marmonna Saphir en lui tournant le dos.

– Mais…

– Laisse-moi seule ! s'écria Saphir. Je ne sortirai pas.

– Tu dois venir ! protesta Lili. Tous les parents sont là. Il faut te préparer pour la pièce.

– Non ! Je ne jouerai pas.

– Quoi ? lâcha Lili, interdite.

– Je ne peux pas ! répliqua Saphir en la regardant. Tu avais raison. Je n'aurais jamais dû passer l'audition de la Belle au bois dormant.

– Oh, Saphir, fit Lili, s'approchant pour essayer de humer l'encolure de son amie. Ne sois pas sotte ! Je ne pensais pas du tout ce que j'ai dit. Je suis vraiment désolée !

Mais la jolie licorne s'écarta.

– Je ne suis pas idiote, lâcha-t-elle, des sanglots dans la voix. Je ne peux pas être la Belle au bois dormant. Je ne suis pas assez bonne. C'est toi qui devrais jouer le rôle.

– Moi ? s'exclama Lili.

Saphir acquiesça.

– Tu es ma doublure. Tu connais le texte mieux que moi, je t'assure.

– Euh…

– Je suis sérieuse, Lili. Je ferai semblant d'être malade et tu joueras à ma place.

Lili contempla son amie. Ses pensées défilèrent à toute vitesse.

« Je pourrais être la Belle au bois dormant ? C'est ce que je voulais. Ce que j'ai toujours voulu… »

Puis elle vit une larme se détacher de l'œil de Saphir.

– Et toi, tu n'as pas envie d'être la Belle au bois dormant ? demanda-t-elle lentement.

– Si, avoua Saphir, d'une petite voix.

Elle se détourna et ajouta tristement :

– Ça me ferait très plaisir, mais je ne suis pas assez douée…

– Bien sûr que si, dit Lili, réalisant qu'elle ne tenait pas à être la Belle au bois dormant si cela faisait souffrir son amie. Tu joues et tu chantes à merveille. Et je sais que tu connais ton texte par cœur.

La petite licorne, bien décidée à la convaincre, effleura son encolure avec sa corne.

– Tu peux le faire, Saphir !

Sentant sa corne qui commençait à scintiller, Lili retint son souffle. La magie opérait !

– Je peux y arriver, murmura Saphir, qui n'avait rien remarqué.

Puis, parlant plus fort, elle déclara, déterminée :

– Oui, je pense que j'y arriverai.

Lili, ravie, demanda :

– Tu seras la Belle au bois dormant ?

Saphir hocha la tête.

– Je me sens différente. Plus courageuse, plus forte. Avant, j'étais persuadée que j'étais incapable de jouer et maintenant...

Elle se tourna alors vers Lili et s'exclama :

– Ta corne ! Elle brille !

– Je sais. Il se passe sûrement quelque chose de magique, commenta Lili.

– C'est la magie du courage ! s'exclama Saphir. Ça doit être ça. Mon père m'en a déjà parlé. D'après lui, les licornes utilisent leurs cornes pour aider les autres à se sentir plus courageux. C'est pourquoi je me sens beaucoup mieux tout d'un coup. Oh, merci, Lili !

Gênée par les remerciements de son amie, Lili avoua :

– Je n'ai pas fait exprès. C'est arrivé comme ça. Je voulais juste te convaincre de tes dons d'actrice et ma corne a commencé à briller…

– Peu m'importe que tu l'aies voulu ou non, répliqua Saphir. Tu as été super. Tu as exercé ta magie sans même le savoir. Grâce à toi, j'ai compris que je pouvais jouer le rôle de la Belle au bois dormant.

– Je regrette de m'être fâchée contre toi, dit Lili, humant l'encolure de son amie. Je suis vraiment désolée, Saphir. Je n'aurais pas dû te parler comme ça.

– Ce n'est rien, fit Saphir, posant les naseaux sur l'épaule de Lili. J'étais sûrement agaçante. Je me sens tellement mieux depuis que tu m'as aidée…

À ces mots, Lili se sentit traversée d'une onde de bonheur. L'idée d'avoir le premier rôle de la pièce lui semblait désormais peu importante. L'essentiel, c'était d'avoir insufflé assez de courage à Saphir pour que celle-ci puisse être la Belle au bois dormant.

La petite licorne prit soudain conscience de l'heure.

– Dépêchons-nous ! s'exclama-t-elle. Si on ne rentre pas à temps, ils ne pourront pas commencer la pièce !

Saphir lui adressa un sourire.

– Belle au bois dormant, nous voilà !

# 9. La Belle au bois dormant

*L*ili et Saphir galopèrent jusqu'au champ des Assemblées. Fiona s'affairait dans les coulisses. Elle les fixa du regard.

– Lili ! Saphir ! Pourquoi n'êtes-vous pas en tenue ?

– On allait les mettre, répondit précipitamment Lili.

Elles gagnèrent immédiatement les vestiaires. Les deux elfes chargés des costumes et des accessoires s'empressèrent de les aider.

Les deux licornes, revêtues de leur habit, s'approchèrent alors de la scène. Lili portait un chapeau noir et une cape grise dont le tissu semblait fait de toiles d'araignées. On avait noué une étoffe fine et noire autour de ses sabots. Saphir arborait son chapeau à voilette et sa longue traîne rose. Lili la regarda et constata qu'elle n'éprouvait aucune jalousie.

« J'ai hâte d'être sur scène et de jouer la Méchante fée, se dit-elle, piaffant d'impatience. Je vais m'amuser à projeter des étoiles d'argent et de la fumée verte et je vais voler partout en effrayant tout le monde ! »

Fiona demanda aux premiers acteurs de se tenir près de la scène, masquée par de grandes tentures. Un rideau rouge bordé d'or dissimulait les comédiens à la vue des spectateurs qui bavardaient en attendant la reprise du spectacle.

– Ça me fait peur ! Tous les parents sont là ! chuchota Saphir à Lili, qui était debout près de l'estrade.

– Je ne peux pas croire qu'on soit à la fin du trimestre et qu'on va rentrer chez nous après, répondit celle-ci. Tu vas me manquer pendant les vacances.

– Toi aussi, tu vas me manquer, souffla Saphir. Mais on pourra s'écrire, et nous serons de retour ici dans deux semaines !

Lili hocha la tête.

– Tu m'écriras tous les jours ? demanda-t-elle.

– Je te le promets, conclut Saphir.

Foudre arriva juste à ce moment-là.

– Bonne chance à toutes les deux, lança-t-il.

– Merci, répondirent les amies d'une même voix.

– La forêt enchantée est géniale, fit remarquer Saphir.

Lili et elle avaient aperçu les décors de Foudre en sortant des vestiaires.

– Oui, c'est super, renchérit Apollon, qui venait de les rejoindre. C'est bien mieux qu'hier.

– Je pense que c'est le décor le plus réussi, intervint Rubis.

– Moi aussi, ajouta Cannelle.

Foudre enregistra ces remarques avec un plaisir mêlé de gêne.

– Silence, s'il vous plaît, lança Fiona. Nous allons commencer. Tenez-vous prêts !

– Oh, Lili, j'ai vraiment le trac, murmura Saphir.

– Ne t'inquiète pas, souffla la petite licorne. Tu seras géniale !

Les lumières s'éteignirent. Lili était la première des licornes à monter sur scène.

« Ça y est ! », se dit-elle en inspirant très profondément.

– Bonne chance ! fit Saphir en effleurant l'encolure de son amie.

Les trois coups retentirent aussitôt. La pièce commençait !

Lili poussa un hennissement sonore et galopa sur la scène. Un jet de fumée verte sortit de sa corne. Elle demeura un instant immobile. Puis les lumières s'allumèrent et la petite licorne se dressa sur ses jambes postérieures.

– Je suis la Méchante fée ! déclara-t-elle.

Quelques huées retentirent dans l'audience. Lili ricana et lâcha une rafale d'étoiles d'argent qui se réunirent pour former son nom :

« MÉCHANTE FÉE ». Les huées redoublèrent d'intensité.

– Taisez-vous, bande de fripouilles ! gronda la fée.

Lili parcourut la scène d'un air furieux, mais au fond d'elle-même, elle était ravie. Elle s'amusait drôlement.

Les spectateurs ne virent pas passer le temps… Quand Saphir fit sa première apparition, elle semblait vraiment paniquée. Elle monta sur scène et ouvrit la bouche, sans pouvoir articuler un son.

– J'ai seize ans aujourd'hui, souffla Lili.

Saphir lui jeta un regard reconnaissant et commença sa tirade :

– J'ai seize ans aujourd'hui, dit-elle à l'audience. Je me demande ce que je vais faire. Et si j'allais explorer le château ?

Elle poursuivit son texte sans aucune hésitation et chanta magnifiquement bien. Lili prit grand plaisir à jouer et à exécuter ses tours de magie. Elle vola même au-dessus des spectateurs et fit tomber sur eux une pluie d'étoiles. Tout le monde applaudit frénétiquement.

– La prochaine fois, je vous transforme tous en grenouilles ou en asticots! s'exclama-t-elle, en agitant sa crinière.

Puis elle fit un saut périlleux et s'envola loin de la scène.

– Génial! s'écria Fiona.

Le moment tant attendu arriva enfin: la scène du mariage. Toutes les licornes étaient présentes, à l'exception de Lili. En tant que Méchante fée, elle n'avait pas été invitée à la cérémonie. Les licornes, réparties sur deux rangées, se tenaient face à face, formant comme un couloir avec leurs cornes jointes. Comète et Saphir, vêtus de leurs parures scintillantes, s'avancèrent dans la haie d'honneur, puis s'arrêtèrent devant les spectateurs pour les saluer. Les acclamations retentirent aussitôt. Et les autres licornes s'inclinèrent à leur tour.

Lili ne put s'empêcher de se sentir un peu à l'écart tandis qu'elle observait ses camarades. Elle savait pourtant qu'elle n'allait pas tarder à les rejoindre pour le dernier salut, comme l'avait prévu Fiona. Mais soudain, un cri se fit entendre dans l'assemblée :

– On veut la Méchante fée !

Et une autre voix répéta elle aussi :

– On veut la Méchante fée !

Lili regarda Fiona d'un air interrogateur.

– Vas-y, sourit la professeur.

– Mais… ce n'est pas trop tôt ? protesta la petite licorne.

– Pas pour le public, dit Fiona. C'est son avis qui compte.

Elle poussa Lili vers la scène. La petite licorne, gênée, hésita un instant avant de prendre sa place. Sous les bruyants hourras des spectateurs, elle sentit fondre sa timidité. Elle trotta au milieu de la scène. Comète et Saphir s'écartèrent pour lui laisser la place. Ils s'inclinèrent tous les trois ensemble. Les spectateurs, enthousiastes, martelèrent bruyamment le sol de leurs sabots.

Comète et Saphir reculèrent pour laisser Lili saluer le public. La petite licorne rayonnait de bonheur. Les spectateurs l'avaient aimée. Ils l'avaient même beaucoup aimée !

Elle rejoignit ses camarades alignés sur la scène.

« Je ne m'étais pas trompée, pensa-t-elle, la tête résonnant des acclamations. Ce n'était pas important d'avoir le premier rôle, finalement. »

Après le spectacle, les licornes enlevèrent leurs costumes et retrouvèrent leurs parents dans les prés du Clair-de-Lune.

Lili aperçut sa famille près de la table.

– Maman ! Papa ! s'écria-t-elle, s'empressant de les rejoindre.

Sa mère poussa un hennissement de joie et s'avança vers elle. Tandis qu'elles se humaient l'une et l'autre, Lili croisa le regard de son père.

– Nous sommes très fiers de toi, dit-il.

La petite licorne se sentit transportée de bonheur.

Saphir trotta dans leur direction.

– Viens ! s'exclama Lili. Je vais te présenter mes parents.

– Bonjour, sourit Saphir.

Soudain, le son de la corne de bronze retentit. Tout le monde se tut. Tricorne entra dans le pré.

– Bienvenue à tous, déclara-t-il. J'espère que vous avez apprécié le spectacle. Les acteurs ont fait du bon travail, avec une Belle au bois dormant superbe, un Prince plein de courage, des Fées marraines acrobates du ciel et la plus terrible de toutes les Méchantes fées.

Toute l'assemblée frappa le sol des sabots.

– Saphir, poursuivit Tricorne une fois le silence revenu, toi qui as eu le rôle principal, voudrais-tu dire quelques mots à tous ?

Les yeux de la jolie licorne s'agrandirent. Elle prit une profonde inspiration.

– Hum… j'aimerais tout d'abord remercier tous ceux qui sont venus nous voir. Nous nous sommes beaucoup amusés. Fiona et Thomas étaient géniaux, et tout le monde a travaillé dur, les acteurs comme ceux qui sont intervenus en coulisses.

Foudre croisa le regard de Lili et sourit.

– Voilà ce que j'ai à dire, continua Saphir. Encore une dernière chose. Je tiens à remercier Lili, qui était la Méchante fée. J'étais terrorisée à l'idée de monter sur scène, mais elle m'a fait comprendre que j'en étais capable. Merci, Lili.

Regardant son amie, Saphir ajouta :

– Sans toi, je n'aurais pas pu être la Belle au bois dormant. Tu es la meilleure amie au monde !

Foudre s'avança :

– Et moi, je n'aurais pas pu faire la forêt enchantée sans Lili, annonça-t-il d'une voix forte. Elle m'a vraiment aidé quand j'étais sur le point de renoncer.

À ces mots, tout le monde poussa des acclamations et tapa du pied sur le sol.

Lili se dit qu'elle n'avait jamais été aussi heureuse.

Tricorne hennit, donnant le signal du silence.

– C'est le dernier jour du trimestre, dit-il. Vous avez été très occupés et avez beaucoup appris. Je vous souhaite un bon retour à tous. Nous vous reverrons dans deux semaines.

Il leva la tête et un jet d'étoiles d'or, d'argent et de bronze jaillit de sa corne multicolore. Elles explosèrent dans un crépitement agréable, laissant retomber une poussière scintillante au-dessus de l'assistance.

Le son de la corne retentit à nouveau et Tricorne quitta les prés du Clair-de-Lune.

Lili se tourna vers Saphir.

– Merci d'avoir dit ça sur moi, murmura-t-elle.

– C'est la vérité, répondit Saphir.

– Allez, Lili, intervint son père. Il est temps de rentrer à la maison.

– Salut, Saphir ! lança Lili.

– Salut, Lili ! répliqua son amie. Je t'écrirai tous les jours !

La petite licorne aperçut Foudre et Zéphyr près de la table.

– Un instant ! glissa-t-elle à ses parents, avant de trotter vers ses deux compagnons pour leur dire au revoir.

– Passe de bonnes vacances, Lili, fit Foudre.

– Oui, amuse-toi bien, enchaîna Zéphyr. On se verra le trimestre prochain !

– Lili, tu viens ? s'exclama sa mère.

Lili s'élança dans le ciel. Le soleil se couchait. La corne nimbée d'une lueur dorée, la petite licorne se sentait très heureuse. Elle avait hâte de retourner chez elle, mais elle se réjouissait aussi à l'idée de revenir à l'école dans quelques semaines.

« Comment sera le prochain trimestre ? », se demandait-elle.

Si toi aussi tu adores
les licornes,
retrouve Lili et ses amis
dans d'autres aventures.